Lili part en camp de vacances

Série dirigée par Dominique de Saint Mars

© Calligram 2007
Tous droits réservés pour tous pays
Imprimé en Italie
ISBN : 978-2-88480-335-9

Ainsi va la vie

Lili part en camp de vacances

Dominique de Saint Mars

Serge Bloch

CALLIGRAM

CHRISTIAN GALLIMARD

7

8

9

N'oubliez pas : Sarah est végétarienne !

Voici le carnet de santé de ma fille, Lili. Elle adore les frites !

Maman...

Ne vous inquiétez pas, madame, moi aussi !

Tu t'appelles comment ?

Maman...

Sarah ! Et toi ?

12

14

Arrête de faire ta poule mouillée, Lili ! T'es plus un bébé !

SNIF

Oui, maman, je t'appelle dès qu'on arrive !

SNIF

AAAAHH, ELLE A VOULU ME MORDRE !

Elle va nous pourrir les vacances, celle-là !

Mais elle l'a pas mordue... Arrête !

Toi, la naze, qui t'a sonné ?!

18

19

20

21

22

23

24

J'ai gagné 3 couronnes !!!
P.S. J'ai pas eu d'accident,
si tu vois ce que
je veux dire...

Thomas

Si vous continuez à vous
disputer, je demande une
famille d'accueil !

Pauline

Je n'ai perdu que mon
T-shirt « j'aime
ma maman »

Mario

Ils sont pas nazes,
sauf une snob qui se
change dix fois
par jour...

Violette

Papa, je suis tombé
amoureux de notre
capitaine
de foot !

Léo

Pour mon retour, je ne veux
pas de frites
mais de la bl...

Lili

LES VACANCES SE PASSENT MERVEILLEUSEMENT BIEN, SOUS LE SOLEIL...

LA JOIE DE VIVRE...

C'est à votre tour de débarrasser !

Depuis quand les rois s'occupent du ménage ??!

L'AMITIÉ PARTAGÉE...

LA PAIX...

SILENCE !!!

L'AMOUR...

27

♪ Only you... ♪

Je t'ai vu jouer au foot, Léo... Tu as tout pour être un grand footballeur !

Tu es beau, tu as du charme... Tu as tout pour être un grand comédien !

Ne sois pas jaloux, Thomas... Je vais te dire un secret : tu es mon préféré...

29

Ils m'ont envoyé chacun une lettre... bouh...
C'est sûr, maintenant,
ils vont divorcer...
bouh...

Les parents
ne pensent qu'à eux !

Mais vous les avez,
vous, vos parents !
Moi, j'en ai pas... !

31

BOUH...

C'est pour ça que tu pleures la nuit ?

Bouh... Je suis souvent triste... Ma mère m'a abandonnée quand je suis née... bouh...

Tu veux que je demande à mes parents qu'on t'adopte ?

Bouh... Non, ça va, elle est très gentille, ma famille d'accueil...

Moi, je veux bien ! Mais... tu m'as pas dit que tes parents se disputaient ?!

J'ai dit ça ? ? ? Non ! J'ai un frère adorable et j'ai toujours voulu avoir une sœur !

Dire qu'on rentre demain... C'est passé trop vite...

Vous me manquez déjà toutes les deux...

Vous croyez qu'on peut aimer deux garçons en même temps ?

33

34

LA BOUM BAT SON PLEIN...

Avec Pauline, c'était pas sérieux ! Déjà, à la gare, je suis tombé amoureux de toi...

Tu sais, Léo... il y a un garçon dans ma vie... depuis la maternelle...

Moi aussi, Thomas, j'avais peur que tu ne veuilles pas de moi...

Il faut que je déménage de chez maman ! Il FAUT que je déménage !

37

Mais, c'est mes parents... !

Pauline !

?

Ta lettre nous a fait réfléchir ! Nous avons décidé... d'essayer...

... de ne plus nous disputer !

Ils ne vont pas tenir, Lili... Demande quand même à tes parents...

T'es sûre ?

39

Et toi...
Est-ce qu'il t'est arrivé la même histoire qu'à Lili ?

Avais-tu choisi ces vacances ? Ou tes parents ne
pouvaient pas partir ? Ou c'était moins cher ?

As-tu vécu des moments extraordinaires ? Tu as appris des
choses ? pris des responsabilités ? As-tu été amoureux ?

Tu t'es vite fait des amis ? Tu as su aller vers les autres ?
Te faire aider ? Tu as aimé la vie en groupe ?

Tu t'es vite adapté aux règles ? Trouvé des talents de sportif, de chef, de clown, d'organisateur, de psychologue ?

Tu étais content de vivre autrement et de ne plus être sous le regard de tes parents ou de tes frères et sœurs ?

As-tu connu des enfants différents : d'âge, de caractère, de famille, de richesse ? Des adultes que tu as admiré ?

Étais-tu inquiet de partir ? Tes parents étaient stressés ?
Ils avaient peur qu'il t'arrive quelque chose ?

As-tu souffert d'être séparé de tes parents ? de tes frères e
sœurs ? As-tu eu le cafard à certains moments ?

As-tu eu des problèmes d'obéissance ? d'organisation ?
Tu n'étais pas habitué car tes parents ne disent jamais non

Tu as été timide ? violent ? incompris ? rejeté ? jaloux ?
amoureux ? malheureux ? On s'est moqué de toi ?

Tu as été gêné par quelqu'un et tu n'as pas osé en parler ?
Tu n'aimais pas te déshabiller ou te doucher en public ?

N'es-tu jamais allé en camp ou en colo ? Aimerais-tu
y aller ? Ça te fait peur ? Tu préfères rester en famille ?

**Après avoir réfléchi
à ces questions
sur les camps de vacances,
tu peux en parler
avec tes parents ou tes amis.**